CONTENIDO

LA TERRAZA EN SAINTE-ADRESSE, 1867

Monet pintaba al aire libre para captar la frescura e inmediatez del paisaje.

MONET
IMPRESIONISMO

DAVID SPENCE

En los Estados Unidos, en 1870, John Rockefeller funda la compañía Standard Oil.

El Artista y su Tiempo

EL MUNDO EN EL ÚLTIMO CUARTO DEL SIGLO XIX

Europa vive una época de grandes transformaciones. El 19 de julio de 1870 Napoleón III, declara la guerra a Prusia tras lo cual, el canciller prusiano, Otto von Bismarck, con el apoyo de todos los estados alemanes, logra una rápida victoria sobre los ejércitos franceses. Napoleón fue hecho prisionero y el pueblo de París sufrió un asedio de cuatro meses, durante el cual, miles de personas murieron de frío o de hambre, hasta la firma del armisticio en 1871. De la unión de los estados alemanes, Bismark hizo surgir el pujante Imperio Alemán, peligroso competidor del Imperio Británico, hasta entonces sin rival en el mundo y que en 1877 había proclamado a la reina Victoria emperatriz de la India. Al otro lado del Atlántico, se desarrolla a gran velocidad el país que dominaría el mundo durante el siglo venidero. En 1870, la población de los Estados Unidos era de 39 millones de habitantes. Treinta años después, su población ascendía a 76 millones.

VIDA URBANA

La técnica fotográfica, aún en pañales, pudo captar el bullicio de la vida en las calles de la ciudad. París era reconocida como la capital mundial del arte, si bien en todas las ciudades importantes como Londres o Nueva York existía cierta vida artística. Pintores americanos como James Whistler o Mary Cassatt se sintieron atraídos por París y así poder estar cerca de donde se estaba cociendo la revolución en el arte.

GUERRA FRANCO-PRUSIANA

Como consecuencia de la Guerra Franco-Prusiana, Francia perdió la región de Alsacia y gran parte de Lorena. Los franceses, además, se vieron obligados al pago de reparaciones de guerra por valor de 5 mil millones de francos. La repercusión de la guerra fue aún más grave en París, donde muchos murieron durante el asedio. Las chispas de malestar social que surgieron, habrían de encender rápidamente una guerra civil en las propias calles de París.

FERROCARRIL EN TAKANAWA

El impacto de la modernización se dejaba sentir en todo el mundo. Una de las transformaciones de mayor trascendencia fue el desarrollo del ferrocarril, cuyas líneas se extendieron, como tentáculos, hacia el campo, uniendo ciudades e incluso países. La gente comenzó a gozar de una nueva movilidad que les permitía trabajar en un lugar y vivir en otro. Todo ello aceleró de forma vertiginosa las transformaciones sociales. En Japón, la abolición del Shogunado marca el inicio de una nueva era de modernización en un país cuyas fronteras habían estado cerradas al resto del mundo.

LA COMUNA DE PARÍS EN 1871

En Francia, tras las elecciones de febrero de 1871, se proclama en París una Comuna revolucionaria republicana contra el gobierno de Versalles. En las sangrientas luchas callejeras en que desembocó la intervención del ejército, murieron más de 20.000 personas.

EL CAFÉ NOUVELLE ATHÈNES

La vida en los cafés era algo muy importante para los artistas de París. Era en los cafés donde se reunían, hablaban, intercambiaban ideas y, a menudo, pintaban cuadros. El café Nouvelle Athènes fue el lugar de encuentro preferido de los impresionistas.

El Artista y su Tiempo

EL MUNDO DE MONET

Oscar Claude Monet, hijo de un comerciante de comestibles, nació el 14 de noviembre de 1840 en la Rue Lafitte de París. Siendo muy joven, su familia se trasladó a El Havre, en la costa de Normandía, para que el padre pudiera trabajar en el negocio al por mayor de un familiar. Su madre murió cuando él contaba 17 años. La única indicación temprana de su vocación artística fueron sus caricaturas, que vendía al precio de 10 o 20 francos cada una. Uno de los artistas que trabajaban en El Havre, Eugène Boudin, vio sus caricaturas expuestas en una tienda de materiales para pintores y le animó para que se dedicara a la pintura. Luego, se llevaría al joven a pintar con él al campo. Este sistema de pintar al óleo *à plein air* (aire libre) era muy poco usual en la época. Monet dijo: "El hecho de ser pintor se lo debo a Boudin... le dije a mi padre que quería ser pintor y partí para París a estudiar el oficio".

LA PLAYA DE TROUVILLE *Eugène Boudin*

Boudin tuvo una gran influencia en la vida de Monet. Se habían conocido poco después de la muerte de madre y Boudin le había inculcado la pintura al aire libre, directamente delante del tema. Se dice que Boudin había dicho a Monet, "todo lo que se pinta en el propio lugar tiene una fuerza, una intensidad una viveza imposible de recrear en el estudio".

LA TERRAZA EN SAINTE-ADRESSE, 1867

Monet pasó su juventud en El Havre, en la costa de Normandía. Su padre entró a formar parte del negocio que su cuñado tenía en esa ciudad. La familia gozaba de una posición desahogada y, a menudo, Monet visitaba la casa de veraneo familiar no lejos de la ciudad costera de Sainte-Adresse. Monet hizo este cuadro cuando volvió en 1867, y representó a su padre, de pie, en la terraza, en una escena de una frescura tal que casi podemos sentir la brisa que azota las banderas.

BOULEVARD DES CAPUCINES, 1873

Ya en París, dedicado al estudio de la pintura, Monet se negó a plegarse a los métodos académicos de enseñanza. No conseguía concentrarse en la ejecución de dibujos académicos de modelos de yeso ni compartir la teoría academicista de que la realidad había de ser sacrificada en aras de lo ideal. Monet muy pronto comenzó a relacionarse con amigos como Auguste Renoir y Alfred Sisley, que compartían sus ideas sobre la pintura. Sin embargo, a pesar de sus dificultades económicas Monet vestía a la última moda. Renoir llegó a decir: "No tenía un céntimo pero lucía camisas con puños de encaje". Su cuadro del Boulevard des Capucines lo hizo desde el estudio del fotógrafo Nadar. No es casual que el cuadro tenga el aire de una de esas fotografías de la época en las que el movimiento se refleja en las figuras borrosas que se agitan en la calle. París tuvo que ser, para el joven Monet, un lugar apasionante donde vivir y trabajar y donde haría su contribución a la "revolución permanente", en palabras del historiador del arte E. H. Gombrich.

INFLUENCIA DE LA FOTOGRAFÍA

La influencia de la fotografía aún no se dejaba sentir en el arte, pero su instantaneidad, la posibilidad de captar un solo instante, el encuadre arbitrario de las escenas, eran cualidades que Monet y los otros impresionistas buscaban en su pintura.

EL ALMUERZO DE LOS REMEROS

Auguste Renoir

Renoir y Monet solían salir a pintar juntos a las orillas del Sena. Monet habría de ejercer una gran influencia sobre Renoir, sobre todo, su gusto por la pintura clara y luminosa. Renoir participó en las tres primeras exposiciones impresionistas, si bien con el tiempo, su técnica divergirá de ellos por su utilización de dibujos preparatorios y una paleta de colores predeterminados. Sus intentos de recrear la naturaleza por medio del color produjeron unos cuadros cálidos y delicados, donde predominan las tonalidades rosadas.

EL CANAL DE SAINT-MARTIN

Alfred Sisley

Alfred Sisley era de origen inglés aunque vivía y trabajaba cerca de Parí Se dedicó casi exclusivamente a la pintura de paisajes al aire libre, al estil impresionista. Sisley, Pissarro y Monet eran los impresionistas "puros", es decir, buscaban una representación naturalista que captara las impresiones fugaces de las luz, los colores y los tonos, con preferencia en la pintura d paisajes. Durante la guerra franco-prusiana, Sisley marchó a Inglaterra, donde pintó numerosos paisajes en lo suburbios de Londres.

ESTACIÓN DE LORDSHIP LANE

Camille Pissarro

Pissarro, junto con Monet y Sisley forma el grupo de los llamados "impresionistas puros". Pissarro había nacido en las Indias Occidentales y no se estableció en París hasta los 24 años. Conoció a Monet en 1859 y expuso sus cuadros por primera vez en el Salón de los Rechazados de 1863. En 1874 participó en la primera exposición impresionista. Este cuadro de la Estación de Lordship Lane, en el barrio londinense de Dulwich, lo pintó en 1871. Pissarro vivía en Londres, adonde se trasladó escapando de la Guerra Franco-Prusiana que estaba desgarrando el país. Se contaba la anécdota de que unos 200 cuadros que dejó en su casa de Francia fueron utilizados por los soldados alemanes para andar sobre el barro del jardín.

El Artista y su Tiempo

EL ARTE DEL MOMENTO

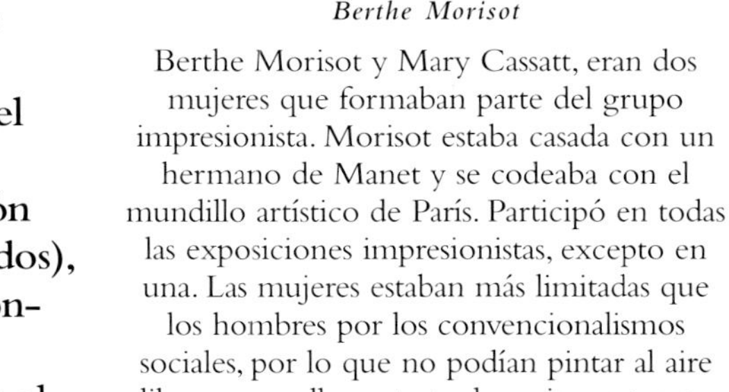

JOVEN VESTIDA PARA EL BAILE

Berthe Morisot

Berthe Morisot y Mary Cassatt, eran dos mujeres que formaban parte del grupo impresionista. Morisot estaba casada con un hermano de Manet y se codeaba con el mundillo artístico de París. Participó en todas las exposiciones impresionistas, excepto en una. Las mujeres estaban más limitadas que los hombres por los convencionalismos sociales, por lo que no podían pintar al aire libre como ellos, o tratar los mismos temas. En su lugar, predominan los interiores y las escenas de ambiente elegante.

En París Monet trabó una gran amistad con otro estudiante de pintura, Frédéric Bazille, con el que compartió estudio en el barrio de Batignolles. Ésta es la razón por la que a los impresionistas se les conoció en un principio como "grupo de Batignolles". El objetivo de todo pintor era exponer en el Salón y Monet no era una excepción. En el Salón, institución oficial con más de 200 años de antigüedad, se exponían las obras más representativas del año, elegidas por un jurado nombrado por la Academia Francesa de Bellas Artes. Sin embargo, el Salón iba perdiendo poco a poco su autoridad e influencia, en la medida en que el cambiante rostro del arte ofrecía nuevas y diferentes expresiones que no se ajustaban al criterio del jurado. En 1863, para evitar el escándalo, Napoleón III creó el Salón des Refusés (Salón de los rechazados), donde se expondrían las obras rechazadas por el jurado oficial. En este salón paralelo se expusieron obras que habrían de tener mayor trascendencia para la historia del arte que las del Salón oficial, aunque en el de 1865, Monet lograse que le aceptasen dos de sus cuadros. Edouard Manet, conoció a Monet gracias a que los críticos confundían a menudo sus nombres. Luego se hicieron amigos. Monet infundió a Manet su apego por la pintura al aire libre, asimilando ambos lo que el otro podía enseñarle.

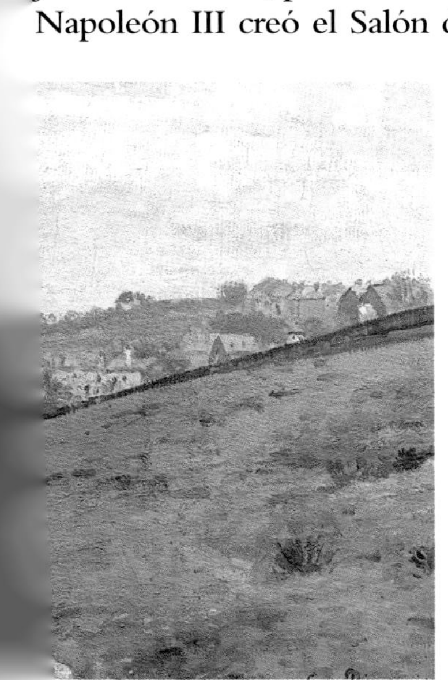

FAMILIA, AMIGOS Y CLIENTES

LA TERRAZA EN SAINTE-ADRESSE

En este detalle del cuadro de Monet de 1867 (véase pág. 5) aparece su padre, Claude Adolphe Monet, en la terraza, conversando con una mujer con una sombrilla amarilla, quizás Madame Lecadre, su tía.

En París transcurrieron los cinco primeros años de la vida de Monet. El traslado de su familia a El Havre se debió a que su padre se había asociado con su cuñado Jacques Lecadre, en su negocio de efectos navales. En 1857, cuando Monet contaba 17 años, murió su madre. Jacques Lecadre murió al año siguiente y su viuda, la tía de Monet, cuidó del muchacho hasta que se fue de casa un año más tarde. En 1859, Monet se instaló en París para estudiar pintura. En 1862 entró como alumno en el taller de Charles Gleyre. Desde 1863 en adelante, se amplía su grupo de amigos, y conoce a los artistas más importantes de la época. Vivía en el barrio de Batignolles, y en el Café Guerbois, en la Rue des Batignolles, se reunía todos lo lunes por la noche con otros artistas. Monet recordaba que "...Manet me invitaba a acompañarle a un café donde él y sus amigos se reunían y charlaban todas las noches al salir de sus talleres. Allí conocí a Fantin-Latour, a Cézanne y a Degas..., al crítico de arte Duranty, a Emile Zola... yo me hice amigo de Bazille y de Renoir. Nada más estimulante que estos debates y el permanente choque de pareceres".

CAMILLE Y JEAN

Los primeros cuadros de Monet en los que aparece Camille Doncieux datan de 1865, cuando ella tenía 19 años. Camille se convertiría en su compañera y, cinco años más tarde, en su mujer. Su primer hijo, Jean, nació en 1867. En este retrato de ambos, pintado en 1873, el niño debía de tener seis años. En este cuadro, Monet trata uno de sus temas preferidos: los efectos luminosos del sol al incidir sobre la hierba.

EL ESTUDIO DE BATIGNOLLES

Henri Fantin-Latour

Monet conoció a Bazille en 1862, en el taller de Charles Gleyre. Bazille y Monet se harían buenos amigos y en 1865 compartieron un taller en la Rue Furstemberg n.° 6 de París. Dos años después, cuando Monet volvió sin un céntimo a París, tras su estancia en El Havre, Bazille, volvió a ofrecerle un lugar para vivir. Monet cifraba todas sus esperanzas en que su cuadro *Mujeres en el jardín* (véase pág. 23) fuese admitido para el Salón. Sin embargo no fue así, viéndose obligado a exponer el cuadro en el escaparate de la tienda donde compraba sus pinturas, sin conseguir que nadie lo comprara. Bazille le compró el cuadro, pagándole a plazos. Al estallar la Guerra Franco-Prusiana en 1870, Bazille se enroló en el ejército y murió por los disparos de un francotirador prusiano. Tenía 29 años. En este retrato de grupo, aparece Manet (sentado), mientras pinta el retrato de Astruc. Detrás, Zola, Maitre, Bazille, Monet, Renoir y Scholderer.

RETRATO DE MADAME GAUDIBERT *(detalle)*, 1868

Uno de los primeros clientes de Monet fue el armador Gaudibert, de El Havre, quien le apoyaría desde 1864. Cuatro años más tarde le encargó este retrato de su esposa.

APUNTES BIOGRÁFICOS

~1840~

Nace el 14 de noviembre en la Rue Lafitte de París, hijo de Claude Adolphe y Louise Justine Monet.

~1845~

Se traslada con su familia a El Havre.

~1856~

Comienza a tomar clases de dibujo y conoce al pintor Eugène Boudin.

~1857~

Muere la madre de Monet.

~1859~

Decide viajar a París para estudiar pintura; conoce a Camille Pissarro.

~1861~

Llamado a filas, es destinado a Argelia. Cae enfermo y es enviado de vuelta a Francia.

~1865~

Comparte taller con Bazille, donde conoce a Cézanne y a Manet. Conoce a Camille Doncieux.

~1867~

Nace su hijo Jean.

~1870~

Se casa con Camille. Estalla la Guerra Franco-Prusiana. Monet se marcha a Londres.

VENTURAS Y DESVENTURAS

En 1876, tras varios años de éxito como pintor, en los que también padeció graves problemas económicos, Monet conoció a Ernest Hoschedé, un próspero comerciante de tejidos. Hoschedé era admirador de Monet y le invitó a su finca, el Château de Rottenburg, donde le asignaron su propio taller en el parque y le encargaron cuatro cuadros para la decoración de la mansión. Monet se trasladó al Château, en tanto que Camille y Jean se quedaron en Argenteuil. Puede haber sido en esta época, en que Monet y Alice, la esposa de Hoschedé, tuvieron que pasar en mutua compañía más de una tarde, cuando se hicieron amantes. Lo que sí es seguro es que su gran amistad tuvo aquí el inicio. Hoschedé apoyaba a muchos de los impresionistas; cuando en 1878 su negocio comenzó a tener problemas, se vio forzado a vender todos sus cuadros, lo que produjo momentáneamente la depreciación de la pintura impresionista.

COMERCIANTES

No duró mucho la prosperidad del negocio de Hoschedé. Ernest Hoschedé se declaró en quiebra en 1877, viéndose forzado a vender su colección de pintura. Ernest murió el 18 de marzo de 1891, lo que permitió que Alice diera solución a la ambigua relación entre la familia Hoschedé y la familia Monet. Alice había sido la amante de Monet desde mucho antes de que por fin, en 1892, pudieran casarse. Monet y Alice vivieron juntos hasta la muerte de ésta en 1911.

CAMILLE MONET EN SU LECHO DE MUERTE, 1879

Monet no pudo evitar pintar la trágica escena de su esposa en el lecho de muerte. Él diría más tarde: "Me sorprendí a mí mismo contemplando sus sienes mortecinas, buscando inconscientemente los tonos cambiantes que la muerte iba imprimiendo en su rígida cara. Azul, amarillo, gris, todos los colores... incluso antes de que se me ocurriera la idea de pintar sus rasgos amados, mi organismo ya estaba reaccionando a las sensaciones de color..."

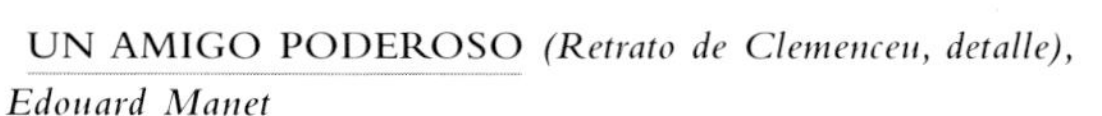

UN AMIGO PODEROSO *(Retrato de Clemenceu, detalle), Edouard Manet*

El estadista francés Georges Clemenceau era un incondicional de Monet. Clemenceau dirigía la revista *La Justice*, en la que aparecieron muchas críticas favorables a Monet e incluso artículos escritos por el propio Clemenceau. Gracias a su intervención, el Estado francés adquirió muchos de sus cuadros, sobr todo después de 1907, cuando fue nombrado Presidente de Franci Clemenceau adquirió una gran notoriedad por su participación e las negociaciones del Tratado de Versalles, que puso fin a la I Guer Mundial. Este retrato fue pintado por Edouard Manet en 1880

JEAN MONET DORMIDO, 1868

uando Jean, el hijo de Monet, tenía 12 años, se vio de repente con seis rmanos más. Los reveses económicos de la familia Hoschedé, les habían dejado sin casa donde vivir. Ernest Hoschedé, Alice, su mujer y sus seis hijos se trasladaron a vivir con Claude y Camille Monet, su hijo Jean y su hijo recién nacido Michel, a una casa en la Rue des Mantes en Vétheuil, a unos cuarenta km de París. Camille estaba gravemente enferma y no se descartaba su pronta muerte. El 5 de septiembre de 1879, tras una larga enfermedad murió. Tras su muerte, fue Alice Hoschedé la que se encargó de criar a los hijos de Monet, Jean y Michel, junto a los suyos propios.

ESTUDIO AL AIRE LIBRE - HACIA LA IZQUIERDA

Se supone que la modelo para este estudio *à plein air,* realizado en 1886, fue la hijastra de Monet, Suzanne Hoschedé. Suzanne se casó con el pintor americano Theodore Butler en 1896, pero murió de repente en 1899. A Monet y a Alice, su madre, les afectó mucho su muerte.

Apuntes Biográficos

~1871~

Muere su padre. Monet viaja a Holanda. Consigue el apoyo del marchante Paul Durand-Ruel.

~1874~

Primera exposición del grupo impresionista.

~1876~

Entabla amistad con Alice y Ernest Hoschedé. Camille cae enferma.

~1878~

Nace Michel, su segundo hijo.

~1879~

Muere Camille. Cuarta exposición impresionista.

~1880~

Primera exposición individual de Monet, en la que consigue un gran éxito.

~1887~

Durand-Ruel expone obras de Monet en Nueva York.

~1889~

Se paga la cifra récord de 10.000 francos por un cuadro de Monet.

~1892~

Se casa con Alice Hoschedé.

~1893~

Compra un terreno en Giverny para hacer un jardín acuático.

~1911~

Muere Alice Hoschedé.

~1912~

Los médicos le diagnostican a Monet cataratas en ambos ojos.

Vida del Artista

ÉXITO

Monet adquirió en vida una gran fama. Aunque durante sus primeros años tuvo muchas dificultades económicas, finalmente encontraría clientes dispuestos a apoyarle. Cierto es que la vida de Monet no fue tan dura como por ejemplo la de Vincent van Gogh, pero su compromiso con la pintura no fue menor que el del artista holandés. Monet ya gozaba de cierto renombre a sus cuarenta años. A los cincuenta, su éxito era tal que algunos pintores americanos iban a Giverny para poder estar cerca del maestro. Uno de ellos, Theodore Butler se casaría con la hijastra de Monet. Gracias a este amplio reconocimiento hoy existen muchas entrevistas, artículos, críticas y memorias familiares.

MADAME MONET CON SU HIJO JEAN EN EL JARDÍN DE ARGENTEVIL

Auguste Renoir

Monet describe una visita de Manet en 1874, cuando Auguste Renoir estaba viviendo con Monet en Argenteuil. La mujer de Monet, Camille y su hijo Jean estaban sentados en el jardín. Los tres pintores plantaron sus caballetes para pintar la escena. "Un día, impulsados por los colores y la luz, Manet comenzó un estudio al aire libre de unas figuras bajo los árboles. Mientras trabajaba, llegó Renoir. También él quedó cautivado por la escena. Me pidió paleta, pinceles y un lienzo, se sentó junto a Manet y comenzó a pintar. Manet le miraba por el rabillo del ojo y de vez en cuando se levantaba a mirar su lienzo ... volvió sigilosamente junto a mí y murmuró 'este chico no tiene aptitudes. Como amigo suyo deberías decirle que lo deje'".

LA ESTACIÓN DE SAINT-LAZARE

Monet conocía perfectamente la estación de Saint-Lazare porque allí era donde tomaba el tren para ir a Argenteuil y a El Havre. En 1877 expuso siete vistas de la estación en una exposición de los impresionistas. Jean Renoir nos ha dejado el testimonio de cómo surgió en Monet la idea de pintar estos cuadros: "Un día dijo, '¡Ya lo tengo! ¡La estación de Saint-Lazare! La pintaré cuando los trenes salen, cuando el humo de las locomotoras es tan denso que casi no deja ver nada. Es una imagen fascinante, un mundo de sueños.'" Por supuesto, no pretendía pintarla de memoria. La habría de pintar en el propio escenario, para captar el juego de la luz del sol sobre el vapor al salir de las locomotoras.

"Conseguiré que retrasen el tren de Rouen media hora. Es cuando hay mejor luz."

"'Estás loco' dijo Renoir"

Monet fue a ver al director de los Ferrocarriles del Oeste y le explicó que quería pintar la estación del Norte o la de Saint-Lazare, pero "...la suya tiene más carácter." El sorprendido director dio su consentimiento, e instruyó al maquinista para que soltase vapor cuando se lo pidiese Monet. Renoir termina así el relato: "¡Yo ni me hubiera atrevido a pintar frente a la tienda de la esquina!"

Apuntes Biográficos

~1914~

Muere Jean, su hijo mayor. Se propone la idea de que Monet pinte un gran mural de Ninfeas para el Estado francés. El 3 de agosto, Francia entra en la I Guerra Mundial.

~1915~

Monet construye un nuevo taller de más de 23 metros de longitud para pintar el mural de las ninfeas.

~1918~

El 11 de noviembre se declara el armisticio. Monet dona 8 cuadros al Estado, elegidos por el Presidente del Gobierno, Clemenceau.

~1919~

Muere Renoir, gran amigo de Monet.

~1920~

Se le ofrece a Monet la posibilidad de entrar a formar parte del Institute de France, máximo honor que el Estado puede conferir a un artista. Monet lo rechaza.

~1923~

Recupera la vista tras una operación de cataratas.

~1925~

Quema algunas de sus pinturas por no tener suficiente calidad.

~1926~

El marchante René Gimpel compra dos cuadros por 200.000 francos cada uno. El 6 de diciembre, muere Monet.

SIGNIFICADO DE LOS CUADROS

EL PUERTO FLUVIAL DE ARGENTEUIL, 1872

Monet decidió establecerse con su joven familia en Argenteuil, en una casa alquilada. Argenteuil era un pueblecito sobre la margen derecha del Sena, a sólo 8 km de la estación de Saint-Lazare en París. Desde los años cincuenta, el impacto del ferrocarril estaba transformando a los pueblos cercanos a París. Los parisinos podían ir a pasar el día al campo y a la vez permitía a los lugareños ir y volver a París en el día. La industria, espoleada por el ferrocarril, comenzó a establecerse fuera de París, en lo que sería el comienzo de un proceso de desarrollo urbano y suburbano imparable. Monet pintó muchas vistas del Sena y del campo en los alrededores de su nueva residencia.

En este detalle podemos ver a las familias paseando por las riberas. Nos encontramos aquí con unos de los temas favoritos del pincel de Monet: el sol, haciéndose camino a través de los árboles: un perfecto idilio campestre. Monet pasó seis felices y fructíferos años en su casa de Argenteuil.

En 1866 Monet pintó un retrato de Camille Doncieux cuando ésta contaba 19 años de edad. Luego se convertiría en su modelo favorita y también en su amante. La situación no contó con la aprobación del padre de Monet, el cual le suprimió su asignación económica. Por esas mismas fechas, Monet sufrió un duro revés cuando su cuadro *Mujeres en el jardín* fue rechazado por el jurado del Salón. Para colmo, Camille estaba embarazada. Su hijo Jean, nacería el 8 de agosto de 1867. Ante la inminencia de la guerra con Prusia, se trasladaron a Trouville en la costa normanda y de ahí a Londres y a Holanda. Durante este período de su vida se produce una transformación en su manera de pensar. Exponer en el Salón y establecerse como un pintor convencional deja de interesarle. Al regresar a París tras la guerra, su compromiso con la pintura *à plein air* era mayor que nunca. Cuando Boudin vio los cuadros que Monet había pintado durante su exilio, comentó: "Creo que tiene madera. Va a ser el que encabece nuestro movimiento".

IMPRESSION, SOLEIL LEVANT, 1872

: 1872 Monet ya estaba desengañado del Salón oficial y ni siquiera presentó cuadros al jurado. Un grupo de pintores independientes formado entre otros por Monet, Renoir, Sisley, Degas, Cézanne, Pissarro y Morisot, decidieron crear su propia sociedad para organizar exposiciones. El 23 de diciembre de 1873 crearon la Sociedad Anónima Cooperativa de Pintores, Escultores y Grabadores. En abril de 1874 ılizaron su primera exposición en el estudio del fotógrafo Nadar, en el Boulevard des Capucines. Monet expuso nueve lienzos, incluido, *Impression, soleil levant* (Impresión, amanecer).

LOS IMPRESIONISTAS

Un crítica de Louis Leroy, aparecida en la revista satírica *Le Charivari,* ha pasado a la posteridad, por haber dado nombre al movimiento. El artículo se titulaba "Exposición de los impresionistas" y en él Leroy, hace la crítica en forma de diálogo entre dos visitantes que discuten sobre la muestra:

"¿Qué representa este cuadro? Mira en el catálogo".
"Impresión, amanecer."
"Impresión ..., lo sabía. Me lo iba diciendo a mí mismo, si estoy impresionado es que ahí hay algo impresionante... y ¡qué libertad, que facilidad en la pincelada! ¡Hasta el papel pintado sin terminar está más acabado que esta marina!"

El cuadro que tanto revuelo causó representaba un amanecer en el puerto de El Havre. No era nada nuevo para Monet. En éste y en otros cuadros, pretendía crear la impresión de una escena que no cesa de transformarse a medida que la luz anaranjada del sol se refleja sobre el agua en movimiento.

Catedral de Rouen

El Artista y su Obra

LA REVOLUCIÓN DE LAS CATEDRALES

Los profesionales van a hacer el favor de perdonarme, pero no puedo resistir la tentación de ser crítico por un día. Claude Monet tiene la culpa. Entré en la galería de Durand-Ruel para volver a ver por simple placer los estudios de la catedral de Rouen, que tanto me habían gustado cuando los vi en el taller de Giverny. Y así, sin saber cómo, terminé llevándome la catedral y sus efectos cambiantes. No puedo apartarla de mi mente. Me obsesiona. Tengo que hablar del cuadro. Y para bien o para mal, voy a hablar." Georges Clemenceau escribió estas líneas en 1895, once años antes de ser elegido Presidente de Francia. El gran apoyo de Clemeceau hacia Monet contribuyó a consolidar la reputación del artista. En 1907, al año siguiente de ser elegido Clemenceau, el Estado compró uno de los cuadros de la catedral de Rouen, para la sede del Gobierno en el Palacio de Luxemburgo en París.

CATEDRAL DE ROUEN, PORTADA, ARMONÍA AZUL

En febrero de 1892 Monet alquiló una habitación frente a la catedral de Rouen. Después de pintar varias veces la portada, se cambió de habitación para variar ligeramente su ángulo de visión. Cuando acabó de pintarla desde aquí, se volvió a cambiar para poder pintar más cuadros. En total parece que cambió de posición cinco veces, buscando nuevas luces y sombras al incidir el sol sobre la fachada del edificio. En los tres cuadros que mostramos aquí, Monet investiga los ... distintas horas del día y en diferentes condiciones atmosféricas.

LA TOUR D'ALBANE A PLENO SOL

Los fríos azules de las primeras horas de la mañana, que capta el primer cuadro, *Portada, armonía en azul* da paso en este cuadro a los cálidos tonos dorados del mediodía. La bruma de la mañana se ha disipado y la catedral aparece con mayor definición. Las sombras profundas dan al edificio mayor relieve. Monet pintó 31 cuadros de la fachada de la catedral de Rouen. Cuando, en 1895, las expuso en la galería de Durand-Ruel, al precio de 12.000 francos, fueron un completo éxito.

CATEDRAL DE ROUEN, PORTADA, TIEMPO GRIS

En este tercer cuadro, Monet interpreta el mismo tema con tiempo nublado. No hay sol y por lo tanto no hay sombras intensas. Por el contrario, la piedra de la catedral resulta mucho más plana y con colores más uniformes. Monet, antes que la serie de las catedrales, había pintado una serie de almiares de trigo cuya intención era la misma: "estoy erre que erre, intentando pintar una serie de efectos luminosos, pero el sol se pone tan rápido en esta época del año que no soy capaz de lograrlo... cuanto más trabajo más me doy cuenta lo difícil que es captar lo que busco, la instantaneidad, la apariencia por encima de todo, la misma luz difusa en todas partes".

COLORES Y PINTURAS

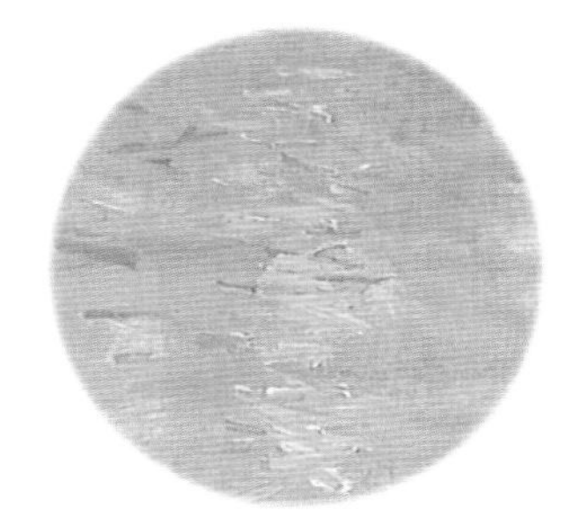

La gama de colores que utilizan los pintores actuales apenas ha cambiado de la que se usaba en 1870. El desarrollo de nuevos pigmentos y componentes químicos estables era el resultado del progreso industrial en Francia y en Alemania. Los nuevos materiales y colores se desarrollaron principalmente para la pintura industrial, para la decoración y para la fabricación de vagones y carruajes, pero los artistas también supieron aprovecharlo. Los impresionistas, y Monet entre ellos, sacaron un gran partido a los nuevos materiales. En 1841, el pintor americano John Rand inventó el tubo flexible de estaño para pintura, lo cual hizo aumentar la demanda de colores molidos y preparados, listos para su uso. En los años setenta, los colores en tubo ya eran moneda corriente entre los artistas, en unas gamas de pigmentos cada vez mayores. Algunos seguían prefiriendo moler ellos mismos los colores, mezclando el pigmento con aceite de semillas de amapola para formar la pasta, pero la mayoría consideró un alivio poder prescindir de estas tediosas labores.

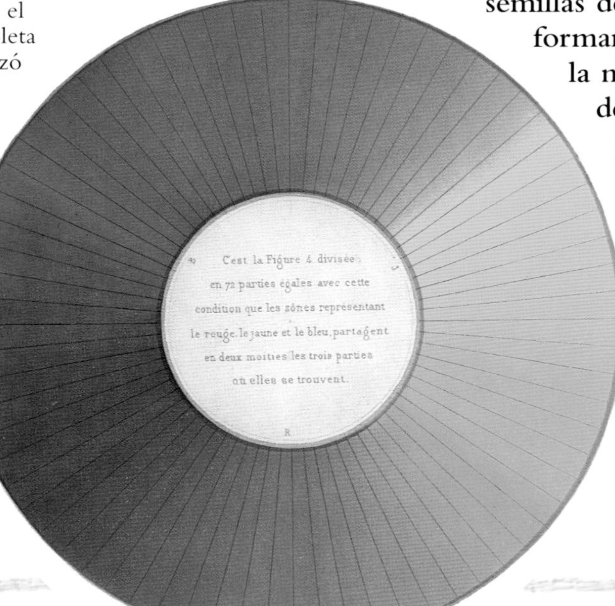

C'est la Figure 4 divisée
en 72 parties égales avec cette
condition que les zônes représentant
le rouge, le jaune et le bleu, partagent
en deux moitiés les trois parties
où elles se trouvent.

CÍRCULO DE COLORES DE CHEVREUL

En 1839, Michel Chevreul, director de técnicas de teñido en el taller de tapices de los Gobelinos, formuló su ley sobre el contraste simultáneo de colores. Este principio planteaba algo que los pintores ya sabían desde hacía siglos, pero que no había sido formulado científicamente: la percepción de un color depende de los colores que le acompañan. Cuando se contraponen colores complementarios el contraste de color se intensifica. Por ejemplo, el rojo, contrapuesto al verde, hace que el rojo parezca más rojo; análogamente el verde ha de parecer más verde.

Las otras dos parejas de complementarios fundamentales son el naranja y el azul, y el violeta y el amarillo. Monet utilizó este efecto de manera reiterada en su pintura, consciente de que "...el color debe su brillo a la fuerza del contraste... los colores primarios parecen más vivos cuando se contraponen a sus complementarios". Nada mejor para demostrarlo que el famoso cuadro *Impression, soleil lévant (arriba)*.

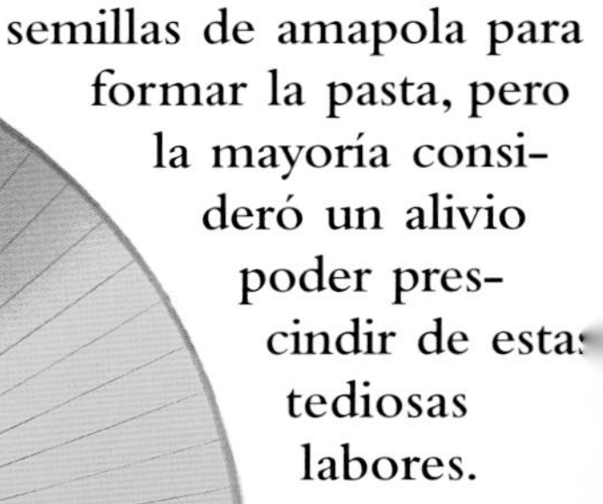

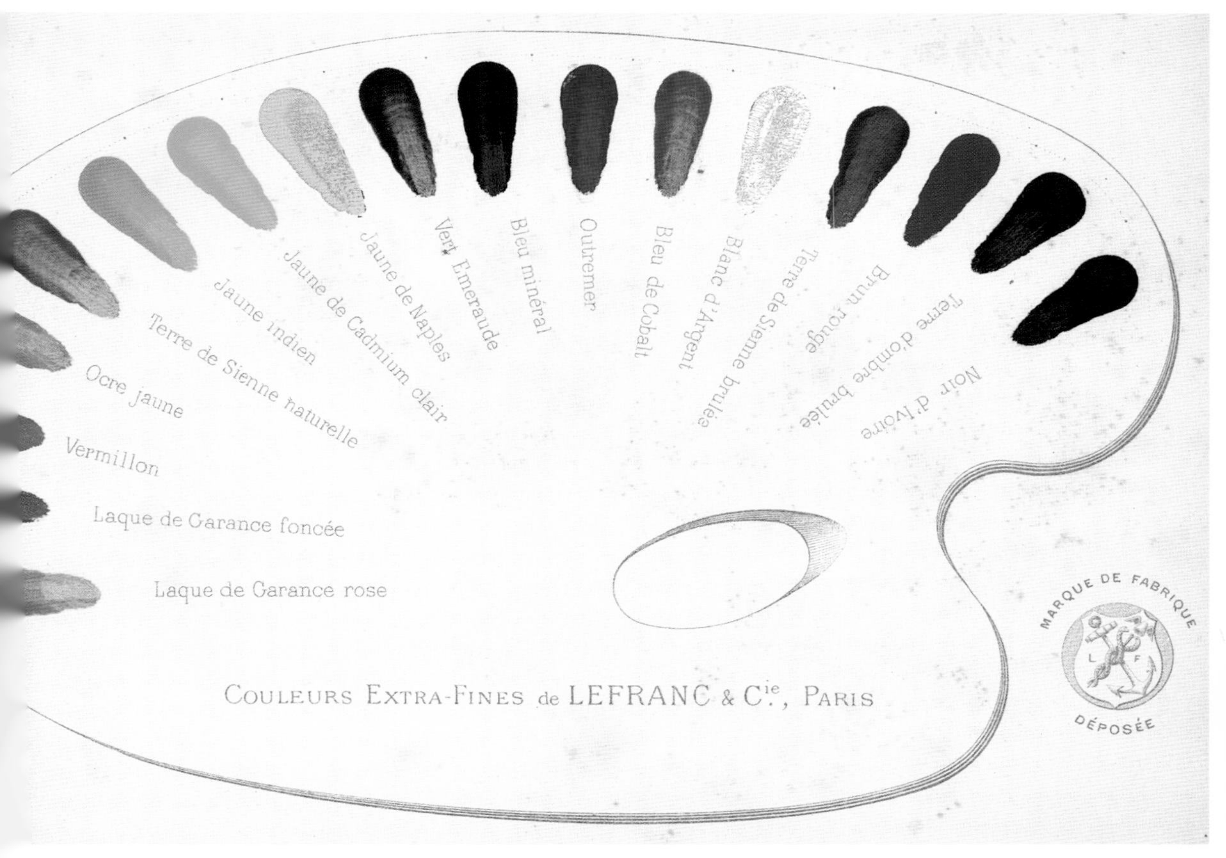

CARTA DE COLORES AL ÓLEO DE LA MARCA LEFRANC

Los impresionistas acogieron con los brazos abiertos las nuevas pinturas. Su obsesión por captar los efectos ambiantes de luz significaba que habrían de recibir bien cualquier avance científico que les pudiera ayudar en su trabajo. La empresa Lefranc vendía pintura tanto a los minoristas como a los mayoristas, pigmentos sin moler y pigmentos molidos mezclados con aceite para artistas. Lefranc incluso vendía tubos de estaño vacíos y tenazas especiales para cerrarlos. Se sabe que Monet compraba sus colores a Mulard en la Rue Pigalle, molidos a mano especialmente para él.

COLORES AL ÓLEO FÁCILES DE TRANSPORTAR

Los tubos flexibles, al principio se fabricaban también de plomo, pero al comprobarse que este material reaccionaba con algunos componentes de las pinturas, en adelante habrían de fabricarse sólo de estaño. La invención del tubo de colores logró independizar al pintor de su estudio y su facilidad de transporte hizo posible la pintura al aire libre. Otra ventaja de los tubos era que la pintura tardaba mucho más en endurecerse. Anteriormente, el método utilizado para conservar la pintura consistía en introducirla en un saquito (hecho con vejiga de cerdo). El artista la perforaba luego con una tachuela y hacía salir la pintura presionándola; sin embargo la pintura no tardaba mucho en endurecerse.

ILLUSTRATED 3 d.
Paris Fashions
— The Very Latest —

LA PINTURA AL AIRE LIBRE ESTÁ DE MODA

El Artista y su Obra

LA TÉCNICA DE MONET

Los impresionistas hicieron famosa la pintura al aire libre o *à plein air*, pero en el siglo XIX ya existía una tradición de pintar fuera del estudio. El compromiso de Monet con este tipo de pintura era tal, que incluso hizo cavar una zanja en su jardín para poder bajar un lienzo de grandes dimensiones y así poder pintar las partes altas del cuadro sin modificar su punto de vista. Trabajaba directamente sobre el lienzo, sin dibujos preparatorios y tomaba la precaución de vestir de oscuro para que la ropa no produjese reflejos sobre el lienzo. También la sombra era importante. Sin sombra, bajo la luz directa del sol, el pintor sería incapaz de conseguir los colores y tonos adecuados. También había otros problemas. Berthe Morisot se quejaba de que... "en cuanto plantaba mi caballete, acudían más de cincuenta niños a mi alrededor ... lo cual solía terminar en una batalla campal...".

DETALLE DEL VESTIDO BLANCO

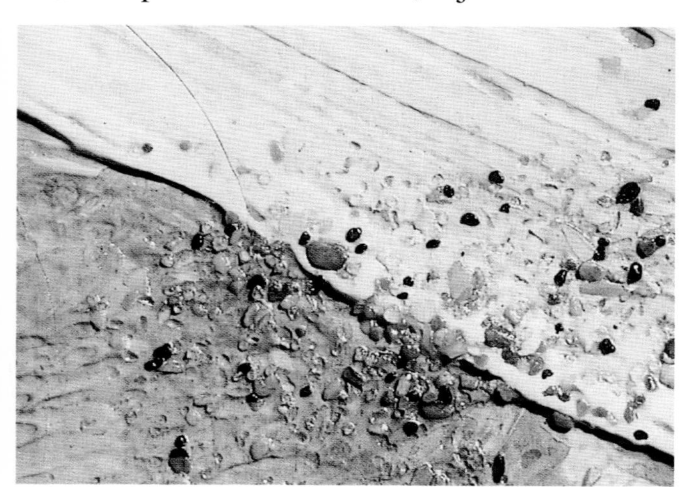

LA EVIDENCIA

En esta macrofotografía de un cuadro aparece arena pegada a la superficie, lo que demuestra que se realizó a *plein air*.

Una de las características técnicas del impresionismo es el efecto conocido como *tache*, un toque o mancha de color. Es una técnica que se popularizó en el siglo XIX, gracias a la aparición de los pinceles planos, de punta cuadrada. Hasta entonces los pinceles acababan en punta redonda. En este detalle podemos ver perfectamente esta técnica.

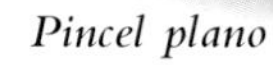

Pincel plano

LA PLAYA DE TROUVILLE, 1870

Probablemente sea Camille la que aparece en esta escena, sentada a la izquierda, con un sombrero de flores, acompañada de Madame Boudin, vestida de oscuro. Monet pintó este cuadro poco después de su boda, el 28 de junio de 1870, ya que hay constancia de que ese verano estuvieron en Trouville. Su hijo Jean tenía tres años y puede ser suyo el zapato que cuelga del respaldo de la silla. En *La playa de Trouville,* Monet quiere investigar los efectos cambiantes de la luz. Los problemas para representarlos eran aún mayores a la orilla del mar, donde la arena reflejaba el sol y las sombras eran escasas. Fue pintado en la misma playa, quizás en menos de media hora si nos atenemos a su afirmación de que... "ningún pintor puede pintar al aire libre por más de media hora si quiere ser fiel a la naturaleza...", aunque es posible que reemprendiera el trabajo otro día.

Se hizo construir una caja con ranuras para colocar los lienzos recién pintados, y así poder guardar uno y sacar otro, trabajando en varios a la vez. Para captar los efectos fugaces de la luz Monet tenía que trabajar muy rápido. "En un primer momento se debe cubrir de pintura la mayor parte del lienzo, aunque sea de forma abocetada, para establecer desde el primer momento la tonalidad del conjunto."

EL PINTOR Y SU OBRA

SUS CUADROS MÁS CONOCIDOS

Muchos de los cuadros de Monet nos resultan familiares porque los hemos visto reproducidos multitud de veces en libros y en todo tipo de impresos. Quizás el impresionismo sea el estilo más conocido del público; es un estilo fácil de comprender que no exige del espectador una labor intelectual para entender lo que allí se representa. Los cuadros impresionistas son "cómodos" de ver. Sus escenas veraniegas y sus luminosos colores son muy agradables a la vista. Sin embargo, es importante recordar que esta nueva forma de pintar suponía un desafío al público de la época, no sólo por su técnica sino por los temas que trataba. Nunca se habían visto unos cuadros tan "informales". El borde del lienzo cortaba la composición de manera arbitraria, como sucedía en la fotografía. Interiores domésticos, borrachos, prostitutas, figuraban entre los temas representados, temas que nunca antes se habían considerado adecuados para el arte. Cuando Monet se decidió por este tipo de pintura, se estaba aventurando en un terreno absolutamente desconocid

LA RUE MONTORGEUIL
FIESTA DEL 30 DE JUNIO DE 1878

En 1877 Monet había regresado a París y se había instalado en u apartamento de la Rue d'Edimburgh. Aquí sería donde nacería Michel, su segundo hijo, el 17 de marzo de 1878. El 30 de junio 1878, se declaró día de fiesta con motivo de la Exposición Univ y las calles de París se engalanaron con banderas. Monet realizó cuadros sobre este tema. Más tarde diría: "El 30 de junio, primer de fiesta nacional, salí con mis bártulos de pintar a la Rue Montorgeuil; la calle estaba engalanada con banderas y la multit estaba exultante de alegría. Vi un balcón, subí y pedí permiso pa pintar desde allí. Cuando acabé me fui, sin tan siquiera presentar

AMAPOLAS EN ARGENTEUIL, 1873

Pintado en 1873, cuando vivía en Argenteuil con Camille y su hijo Jean, este cuadro representa uno de los periodos más felices de la vida de Monet. En la pintura aparecen dos parejas de figuras, ambas formadas por una mujer y un niño. Es probable que una pareja sean Camille y Jean, que tendría cinco años a la sazón. Monet gozaba de una situación económica relativamente estable aunque no se puede decir que fuese rico. El año anterior le habían ido muy bien las cosas, al vender al marchante parisino Paul Durand-Ruel muchos de sus cuadros. Esto, junto con la herencia de su padre, les permitió alquilar una casa en los alrededores de París. Esta escena idílica es muy representativa del impresionismo; un caluroso y soleado día de verano en un campo lleno de amapolas de un color rojo intenso. Monet demuestra su conocimiento de los efectos del contraste, al colocar pinceladas de rojo sobre un fondo verde.

MUJERES EN EL JARDÍN, 1866

El cuadro de Edouard Manet *Dejeuner sur l'Herbe* produjo un escándalo al ser expuesto al público en 1863. En 1865 Monet, inspirándose en esta obra, tuvo la idea de pintar un cuadro sobre el mismo tema. Pero quería que fuese una representación auténtica de la vida moderna, eliminando cualquier alusión a la historia del arte (en el cuadro de Manet abundaban las alusiones a la historia de la pintura) y pintado con luz natural y a *plein air.* El cuadro habría de ser de grandes dimensiones, con doce figuras de tamaño natural y con él pensaba ser la sensación del Salón. Sin embargo, nunca pudo terminar el cuadro. Luego, fue destruido parcialmente y cortado en trozos que se expusieron como cuadros independientes. En 1866 Monet se embarcó en un cuadro incluso más atrevido: *Mujeres en el jardín.* Para realizar el cuadro no hizo bocetos preparatorios, sino que trabajó al aire libre, directamente sobre una tela de 2,5 × 2 m. Fue para pintar este cuadro para lo que Monet hizo cavar una zanja y así poder bajar el cuadro y no tener que cambiar el punto de vista, muy preocupado por captar exactamente lo que veía. Al fin, Monet se tuvo que dar por vencido y acabó el lienzo en su estudio.

El Artista y su Obra

SU ÚLTIMA OBSESIÓN

Los historiadores del arte suelen considerar a sus cuadros de ninfea como lo mejor de su producción. En 1883 alquiló una casa en Giverny, a 80 km de París. Siete años más tarde compró la casa y algo después, en 1893, compró un prado colindante, que tenía una charca alimentada por el río Epte, un afluente del Sena. Contrató al menos seis jardineros que poco a poco fueron transformando el prado en un jardín con sauces, lirios y ninfeas, importados del Japón. Monet pintó los jardines en torno a la casa y luego se dedicó al jardín acuático, pintándolo en numerosas ocasiones entre 1897 y 1926, fecha de su muerte.

MONET PINTANDO LAS NINFEAS

En esta fotografía vemos a Monet en su taller. Lleva l paleta y está ante uno de sus enormes cuadros de ninfeas. En sus últimos años, Monet dependía cac vez más de su nuera Blanche, quien sería su constante compañía. Su apoyo fue muy important en este momento, cuandc le fueron diagnosticadas cataratas y temió perder l vista. Monet finalmente fue operado en 1923 tras perder por completo la vista de su ojo derecho. Se hizo construir en su jardín un gran taller de 12 x 24 m, lo que le permitió pintar sus inmensos lienzos de ninfea

LA MAÑANA CON SAUCES, 1916-26

Se suele considerar que los grandes lienzos que Monet pintó hacia el final de su vida son un hito importante para la formación del arte moderno. Por la mañana con sauces llorones se compone de tres secciones (aquí vemos toda la sección central y parte de los dos paneles extremos, el cuadro completo se muestra en la pág. 31), cada una de las cuales mide aproximadamente 2 x 4 m. Los cuadros no sólo representan lo que se le ofrecía a Monet ante los ojos, sino una síntesis de sus sensaciones visuales. Monet se estaba independizando de la representación de una escena concreta para pasar a reflejar una síntesis de los recuerdos, impresiones y sensaciones que le producía lo que veía. Lo principal aquí son las cualidades "abstractas" de las formas y de los colores. Monet lo acentúa combinando en un solo cuadro diferentes puntos de vista pintados a distintas horas y con condiciones de luz diferentes. Monet dijo de estos cuadros, "Esperaba hasta que la idea fuese tomando forma, a que los temas, las agrupaciones y las composiciones se fuesen clarificando en mi mente". Por la mañana con sauces llorones, forma parte de un legado hecho al Estado francés al final de la I Guerra Mundial y fue inaugurado finalmente en la Orangerie de París, donde aún se conserva, en mayo de 1927, cinco meses después de la muerte de Monet.

EL ESTANQUE DE LAS NINFEAS, ARMONÍA EN VERDE, 1899

Monet hizo construir un puente con forma de arco en la parte más estrecha del estanque. También tenía que controlar el caudal del río Epte para hacer subir la temperatura del agua y que pudieran prosperar las ninfeas importadas. Esto provocó las protestas de los lugareños. El río lo utilizaban los habitantes de Giverny para lavar y pensaban que el "jardín japonés" de Monet iba a estropear sus aguas. En 1901 Monet admitió "Los paisajes de reflejos en el agua se han convertido en una obsesión". Contrató a un jardinero especial para que las ninfeas estuviesen exactamente como deseaba para sus cuadros.

Repercusión de su Obra

SUS CLIENTES Y SU PÚBLICO

EL DRAMATURGO LOUIS FRANÇOIS NICOLAIE

Monet dibujó esta caricatura a los dieciocho años.

Lo primero que vendió Monet en su vida fueron sus caricaturas. Su talento para hacer caricaturas, comenzó ya en el colegio, donde hacía dibujos de sus profesores. Sobre esta destreza dijo, "...fue una habilidad que desarrollé pronto. A los quince años, ya era conocido en todo El Havre como caricaturista... cobraba por los retratos entre 10 y 20 francos... si hubiera seguido por ese camino, ahora sería millonario". Su primer cliente serio fue el armador Gaudibert, poco después de cumplir los veinte años. Algunos clientes, como Ernest Hoschedé, un rico comerciante de tejidos, le dio un apoyo económico fundamental. Pero la figura más importante que ayudó a Monet y a los pintores impresionistas fue el marchante de arte Paul Durand-Ruel. Durand-Ruel comenzó a comprar sus cuadros desde principios de los años setenta y a él se debe que el Impresionismo fuese mostrado al público internacional en sus galerías de Londres y Nueva York. Los clientes americanos fueron muy importantes en el éxito comercial del Impresionismo. A medida que se iban conociendo los cuadros, los críticos americanos se interesaban cada vez más en seguir los avatares de los artistas franceses, entre ellos de Monet.

AMÉRICA IMPRESIONADA

En 1870, Monet vivía en Londres. Aquí le fue presentado Paul Durand-Ruel, quien, durante la Guerra Franco-Prusiana, había trasladado provisionalmente su galería a Londres. Así lo recordaba Monet, "...sin Durand, nos hubiéramos muerto de hambre, como todos los impresionistas. Le debemos todo... arriesgó todo más de una vez para apoyarnos". En 1886 Durand-Ruel organizó una exposición de los impresionistas en la American Art Association de Nueva York. Entre otras obras, se expusieron 49 lienzos de Monet, con un enorme éxito. Al año siguiente se exhibieron más pinturas suyas en la National Academy of Design de Nueva York y en la Royal Society of British Artists de Londres.

NEW YORK OFFICE,
315 FIFTH AVENUE (COR. 32D STREET).

April 12th, 1893.

M. A. Ryerson Esq.,
to
Messrs. Durand-Ruel.

41 - "L'Ile de la Grande Jatte" - $300.
441 - "Place de la Concorde" - 300.
339 - "Le Pont d'Austerlitz" - 350.
440 - "Pont de Notre Dame" - 300.
434 - "La Seine à St. Mammes" - 350.
917 - "Aprèsmidi de Septembre" - 450.
976 - "Meules, effet de neige" - 1,500. $3,550.

Messrs. Durand-Ruel
to
M. A. Ryerson Esq.

.2366 - $ 450.

Balance in favor of Messrs. Durand-Ruel = $3,100.

s Shipped besides.

FACTURA POR UNOS CUADROS IMPRESIONISTAS

Esta factura, datada el 12 de abril de 1893, desglosa el valor de una serie de cuadros comprados por el millonario coleccionista americano Martin Ryerson a la galería de Durand-Ruel en Nueva York. Entre ellos, está el cuadro, *Almiares, efecto de nieve* de Monet además de obras de Leine y Sisley. El éxito del Impresionismo en Estados Unidos contribuyó a que Durand-Ruel pudiera establecer su oficina de Nueva York en la prestigiosa 5ª avenida.

FOTOGRAFÍA DE MONET, REALIZADA POR NADAR, EN 1904

ALMIARES EFECTO DE NIEVE

Este cuadro forma parte de una serie de quince que pintó Monet en 1890 y 1891, en los que estudiaba el mismo tema una y otra vez bajo diferentes condiciones atmosféricas. Su título en francés, *Meules, effet de neige, Temps Couvert* aparece casi igual en la factura de Durand-Ruel.

MARTIN RYERSON CON CLAUDE MONET

En esta fotografía aparece Ryerson con Monet en el jardín de Giverny. Ryerson era un importante coleccionista de pintura que luego se onvertiría en protector y fundador del Art Institute of Chicago. Gracias a , hoy el Art Institute of Chicago guarda una de las colecciones de pintura impresionista mejores del mundo.

CAMILLE, O LA MUJER VESTIDA DE VERDE, 1866

En 1865 Monet pintó varios cuadros para los cuales posó la joven modelo Camille Doncieux. Unos de éstos, llamado *Camille* o *Mujer con vestido verde*, atrajo un gran interés al ser expuesto en el Salón. Émile Zola publicó un artículo en el periódico *L'Evenement* titulado "Los realistas en el Salón". En él se decía: "Confieso que el cuadro al que más atención dediqué es *Camille* del Sr. Monet. Se trata de un lienzo de gran fuerza y viveza. Acababa de recorrer esas frías y vacías salas, aburrido hasta la médula de no encontrar ningún nuevo talento, cuando divisé esta joven, seguida por la larga cola de su vestido, resaltando en la pared como si allí hubiese un agujero. No se imaginan uds. qué alivio es poder admirar algo, cuando estás harto de morirte de risa y de encoger los hombros".

REPERCUSIÓN DE SU OBRA

LA OPINIÓN DE LA CRÍTICA

La octava y última exposición impresionista tuvo lugar en 1886. A causa de las diferencias que habían surgido entre Monet y los otros componentes del grupo, no lograron convencerle para que participara. Degas, siempre polémico, calificó la obra de Monet de "superficialmente decorativa". En la última exposición impresionista, dominada estilísticamente por el Puntillismo de Seurat y Signac, Degas expuso 15 cuadros al pastel de mujeres en el baño. Esta pintura "neo-impresionista" basada en los conocimientos científicos sobre el color, no satisfacía a Monet, quien dio la espalda a estas novedades para concentrarse en su propio estilo. En los primeros momentos del Impresionismo era el oficialismo del Salón y la opinión pública los que habían criticado la obra de Monet. En 1886 su pintura ya se estaba convirtiendo en un gran éxito comercial y de crítica y Monet pensaba que el Impresionismo, ya triunfante, estaba amenazado por la objetividad científica de los puntillistas y por el propósito de Cézanne de "...hacer del Impresionismo algo sólido". Los historiadores del arte, durante los últimos cien años han sopesado los méritos relativos de impresionistas, neo-impresionistas y otros artistas como Cézanne. Según cambian los conceptos de la crítica de arte, la obra de Monet se considera unas veces más y otras veces menos influyente que la de otros pintores del momento.

LA OBRA MAESTRA

El escritor Émile Zola fue un decidido partidario de la nueva pintura impresionista. En 1886, sin embargo, publicó un libro con el título *L'Oeuvre* (La obra maestra) en la que a su protagonista, el pintor Claude Lantier, se la da el carácter de un soñador fracasado. Algunos de los amigos de Zola pensaron que el personaje de Lantier se inspiraba en ellos mismos, sobre todo en Cézanne que hasta entonces había sido un buen amigo de Zola. Monet escribió a Pissarro: "¿Has leído el libro de Zola? Me temo que nos va a hacer mucho daño".

TARDE DE DOMINGO EN LA ISLA DE LA GRANDE JATTE

Georges Seurat

Esta obra de Seurat, expuesta en la última muestra impresionista, en 1886, es característica del estilo puntillista, que suponía un desafío al impresionismo de Monet. Bajo la influencia de los teóricos del color como Chevreul (véanse págs. 12 y 13), los puntillistas aplicaban puntos de color de manera científica para que los colores se mezclaran en la retina del espectador y no en el lienzo.

CAMILLE, O LA CAVERNA

Bertall

Esta caricatura se debe a Charles d'Arnoux, que publicaba sus dibujos con el seudónimo de Bertall. Se publicó en el semanario satírico *Le Journal Amusant*, donde se solían publicar unas caricaturas despiadadas de los cuadros expuestos en el Salón, para diversión de sus lectores, sin consideración alguna por la fama del artista. El título de esta caricatura se refiere al fondo oscuro contra el que se destaca la figura de Camille.

IMPROVISACIÓN 28

Wassily Kandinsky

Kandinsky, en fecha tan temprana como 1910, ya pintó cuadros totalmente abstractos, por lo que se le suele considerar como uno de los fundadores de la pintura abstracta. Kandinsky había visto uno de los *Almiares* de Monet (véanse págs. 26/27) en una exposición celebrada en Moscú en 1895, y había comentado: "Que aquello fuese un montón de heno lo sabía por el catálogo. Pero no era capaz de reconocerlo... Encontré sofocante no hallar el objeto del cuadro. Pero lo que me quedó completamente claro fue la fuerza jamás sospechada... de la paleta".

ART NEWS AND REVIEW

VOL. 1 NO. 1 FEBRUARY 12 : 1949 FORTNIGHTLY 6d.

Portrait of the Artist No. 1.

BERNARD MENINSKY

Bernard Meninsky—Self Portrait 1949.

ART NEWS

Art News era una revista muy influyente (a la izquierda podemos ver uno de sus primeros números). En 1957, el famoso crítico e historiador del arte Clement Greenberg escribió un artículo sobre Monet, titulado "Claude Monet: El último Monet". En este juicio crítico sobre la obra de Monet, realizado treinta años después de su muerte, Greenberg llega a la conclusión de que los grandes cuadros de *ninfeas* pertenecían más a "nuestro tiempo y al futuro". Las tendencias cambiantes en la crítica de arte quedan a la vista al leer, del propio Greenberg, "hay que negar la cualidad de van Gogh como gran artista, el ejemplo de Monet nos sirve mejor... para recordarnos que es posible que van Gogh no haya sido un gran maestro". De lo cual se puede sacar la conclusión de que no importa tanto lo que hayan dicho los críticos y los historiadores. Tenemos que juzgar las obras con nuestros propios ojos.

LA HUELLA DE SU OBRA

Frente a las convenciones artísticas del momento, el Impresionismo pretendía conseguir un mayor naturalismo, llevando al lienzo los efectos cambiantes de luz. No sólo se convirtió en principal movimiento artístico de la época, sino también en un gran éxito comercial, cuando los ricos industriales americanos, aficionados al arte, se convirtieron en apasionados coleccionistas de Monet y de sus amigos. La influencia del Impresionismo sobre las futuras generaciones de artistas fue profunda, permitiéndoles llevar el arte figurativo convencional hasta nuevos límites e incluso hacia la abstracción del siglo XX. En la actualidad el Impresionismo es más popular que nunca, al presentar al espectador un atractivo mundo de cálidos paisajes soleados, con figuras que siempre parecen estar paseando un domingo por la tarde. Las reproducciones de los cuadros impresionistas se han multiplicado hasta el infinito; en los calendarios; en las tarjetas de felicitación. Sin embargo es importante recordar que en su momento fue algo totalmente nuevo, y que para la época supuso una conmoción, al no estar abituado el público ni a los temas ni a la écnica con que estaban ejecutados.

EL BOSQUE ENCANTADO

Jackson Pollock

reenberg ha escrito: "... esos inmensos primeros planos que son las últimas ninfeas nos dicen -al igual que los expresionistas abstractos radicales- que se necesita un gran espacio físico para desarrollar adecuadamente una potente idea pictórica que no implique ilusión de profundidad en el espacio. Los anchos trazos emborronados con que están ejecutadas las *ninfeas,* ican que la superficie del cuadro ha de poder respirar, pero que su respiración ha de estar compuesta de la extura y del material del lienzo, y de la pintura, no de un color incorpóreo." Los cuadros del expresionista abstracto Jackson Pollock, deben mucho a las últimas ninfeas. Tanto los cuadros de Monet como los de Pollock expresan los sentimientos del pintor sobre el color, el espacio y las formas, en un lienzo de dimensiones inmensas.

OBRAS DE MONET

La Terraza de Sainte-Adres-se, **1, 2, 5**
Metropolitan Museum Of Art, Nueva York

Boulevard des Capucines, **5**
Museo Pushkin, Moscú

Camile y Jean en el jardín de Argenteuil, **8**
Colección particular

Retrato de Madame Gaudibert, **9**
Museo D'Orsay, París

Camille Monet en su lecho de muerte, **10**
Museo D'Orsay, París

Jean Monet dormido, **11**
Nueva York, Carlsberg Glyptotek, Copenhague

Estudio à plein air, hacia la izquierda, **11**
Museo D'Orsay, París

La estación de Saint-Lazare, 13
Museo D'Orsay, París

El puerto fluvial de Argenteuil, **14**
Museo D'Orsay, París

Impression, soleil levant, **15**
Museo Marmottan, París

Catedral de Rouen, Portada y la Tour d'Alban a pleno sol, 17
Museo D'Orsay, París

Catedral de Rouen, Portada (tiempo gris), **17**
Museo D'Orsay, París

La playa de Trouville, **21**
National Gallery, Londres

Rue Montorgueuil, fiesta del 30 de junio de 1878, **22**
Museo D'Orsay, París

Amapolas en Argenteuil, **23**
Museo D'Orsay, París

Mujeres en el jardín, **23**
Museo D'Orsay, París

La mañana con sauces, **23**
Museo de L'Orangerie, París

El estanque de las ninfeas, armonía en verde, **25**
Museo D'Orsay, París

Almiares, efecto de nieve (escarcha), **27**
National Gallery, Edimburgo

Camille, o la mujer del vestido verde, **28**
Kunsthalle, Bremen

OBRAS DE OTROS ARTISTAS

El almuerzo de los remeros, **6**
Phillips Collection, Washington

Lordship Lane Station, **6**
Courtauld Institute Gallery, Londres

El estudio de Batignolles, **9**
Museo D'Orsay, París

Retrato de Clemenceau, **10**
Museo D'Orsay, París

Madame Monet con su hijo Jean en el jardín de Argenteuil, **12**
National Gallery of Art, Washington

Tarde de domingo en la isla de la Grande Jatte, **29**
Art Institute of Chicago

Improvisación 28, **30**
Museo Guggenheim, Nueva York

El bosque encantado, **31**
Peggy Guggenheim Collection, Venecia

ÍNDICE

Título original: *Great Artists: Monet*

Fernando VI, 8, 1.° 28004 MADRID
Tel.: 91 310 05 99. Fax: 91 310 04 59
E-mail: celeste@fedecali.es

Traducción: Rafael Fontes

ISBN: 84-8211-133-7

Agradecimientos a: Graham Rich, Tracey Pennington y Peter Done por su apoyo.

Printed in Hong Kong

Créditos fotográficos: *a* = arriba, *b* = abajo, *c* = centro, *d* = derecha, *i* = izquierda.

The Advertising Archive Ltd; 2ai. Photo © AKG Londres; 2cd. Art Instituye of Chicago; 27 ai, 27bd. Art Institute of Chicago/Bridgeman Art Library, Londres; 29a. © Bibliothèque Nationale de France, París; 4ai, 18cb. Con permiso de The British Library (7857dd, Opp80); 19a. Courtauld Instituye Galleries, Londres. Photo © AKG Londres; 6/7cb. *Enchanted Forest,* 1947, Jackson Pollock © ARS, NY y DACS, Londres 1997 (Peggy Guggenheim Collection, Venecia. Photo © AKG Londres); 31bd. *Improvisation 28* (segunda versión), 1912, Wassily Kandinsky © ADAGP, París y DACS, Londres, Londres 1997 (Solomon R. Guggengheim Museum, Nueva York/ Bridgeman Art Library, Londres); 30ad. Kunsthalle, Bremen/Lauros-Giraudon/Bridgeman Art Library, Londres; 28ai. Mary Evans Picture Library; 3ai, 3b, 10ai, 16bi, CPE & 20ai, 24bi, 26bi, CPE & 27 ad. Metropolitan Museum of Art, Nueva York/Bridgeman Art Library, Londres; PI/1 &5ai & 8ai. Musee d'Art et d'Histoire, Saint-Denís, París/Giraudon/Bridgeman Art Library, Londres; 2bi. Musee du Louvre. Photo © AKG Londres; 9ai, 12/13ca. Musee d'Orsay, paríes. Photo © AKG Londres/ Erich Lessing; 6ci, 7ad, CPE & 9bd, 10bi, CPE & 10bd, CPE & 11cb &32, 14ai, 16a, 17a, 22bim, 23bi, 25bi. Musee d'Orsay, París, Francia /Giraudon/Bridgeman Art Library, Londres; 17b, 22/23ca. Musee de l'Orangerie, París/Lauros-Giraudon/ Bridgeman Art Library, Londres; Pei & 21a. National Gallery of Art, Washington. Photo © AKG Londres; 12bd. National Gallery of Scotland, Edimburgo /Bridgeman Art Library, Londres; 27ci & 30cd. Nueva York Carlsberg Glyptothek, Copenhague. Photo © AKG Londres /Erich Lessing; CPE & 11ai. Phillips Collection, Washington DC/Bridgeman Art Library, Londres; 6ad. The Pierport Morgan Library / Art Resource, Nueva York (S0109859); 28/29cb. Colección privada /Bridgeman Art Library, Londres; 8bd. Museo Pushkin, Moscú /Bridgeman Art Library, Londres; 5cd. Roger Viollet/Frank Spooner Pictures; 5bi. Tate Gallery Archive; 30ci.

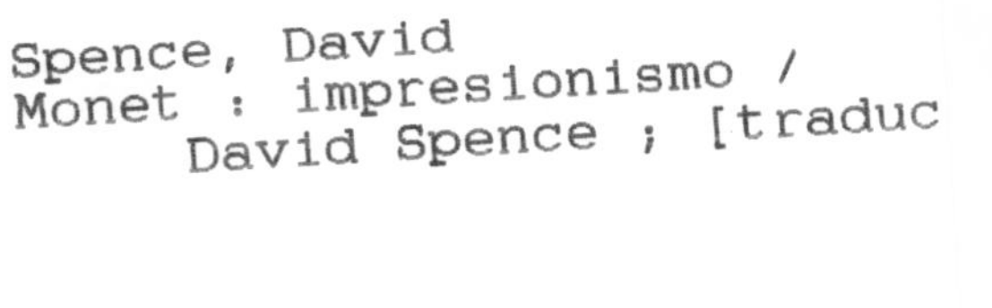